Attitude of Gratitude

This journal belongs to:

_____

Cultivate An Attitude Of Gratitude

"When I started counting my blessings, my whole life turned around."

- Willie Nelson

Invest a few minutes a day to develop thankfulness, mindfulness and positivity.

52 weeks of practice with an inspirational quote for each week to cultivate gratitude and happiness.

MY GOALS/THOUGHTS/PLANS FOR THE NEXT 12 MONTHS:

1.

2.

3.

4.

5.

6.

7.

8.

9.

10.

"It's important to set your own goals and work hard to achieve them."

- YUICHIRO MIURA

PEOPLE I AM GRATEFUL FOR:

1. _____

2. _____

3. _____

4. _____

5. _____

THINGS THAT MAKE ME HAPPY:

1. _____

2. _____

3. _____

4. _____

5. _____

DATE: _____ **M T W T F S S** MY MOOD

TODAY. I AM TRULY GRATEFUL FOR:

1. _____
2. _____
3. _____

DATE: _____ **M T W T F S S** MY MOOD

TODAY. I AM TRULY GRATEFUL FOR:

1. _____
2. _____
3. _____

DATE: _____ **M T W T F S S** MY MOOD

TODAY. I AM TRULY GRATEFUL FOR:

1. _____
2. _____
3. _____

DATE: _____ **M T W T F S S** MY MOOD

TODAY. I AM TRULY GRATEFUL FOR:

1. _____
2. _____
3. _____

Who made you smile in the past 24 hours and why?

- -

DATE: _____ M T W T F S S

TODAY. I AM TRULY GRATEFUL FOR:

1. _____
2. _____
3. _____

DATE: _____ M T W T F S S

MY MOOD

TODAY. I AM TRULY GRATEFUL FOR:

1. _____
2. _____
3. _____

DATE: _____ M T W T F S S

MY MOOD

TODAY. I AM TRULY GRATEFUL FOR:

1. _____
2. _____
3. _____

> *Gratitude is the fairest blossom which springs from the soul.*

POSITIVE AFFIRMATIONS

_____

_____

_____

DATE: _____ M T W T F S S MY MOOD

TODAY. I AM TRULY GRATEFUL FOR:

1. _____

2. _____

3. _____

DATE: _____ M T W T F S S MY MOOD

TODAY. I AM TRULY GRATEFUL FOR:

1. _____

2. _____

3. _____

DATE: _____ M T W T F S S MY MOOD

TODAY. I AM TRULY GRATEFUL FOR:

1. _____

2. _____

3. _____

DATE: _____ M T W T F S S MY MOOD

TODAY. I AM TRULY GRATEFUL FOR:

1. _____

2. _____

3. _____

What is one of your favorite songs from your childhood?

- -

DATE: _____ M T W T F S S

MY MOOD

TODAY. I AM TRULY GRATEFUL FOR:

1. _____

2. _____

3. _____

DATE: _____ M T W T F S S

MY MOOD

TODAY. I AM TRULY GRATEFUL FOR:

1. _____

2. _____

3. _____

DATE: _____ M T W T F S S

MY MOOD

TODAY. I AM TRULY GRATEFUL FOR:

1. _____

2. _____

3. _____

> " *You should set goals beyond your reach so you always have something to live for.* "

POSITIVE AFFIRMATIONS

_____

_____

_____

DATE: _____ M T W T F S S

TODAY. I AM TRULY GRATEFUL FOR:

1. _____

2. _____

3. _____

DATE: _____ M T W T F S S

MY MOOD

TODAY. I AM TRULY GRATEFUL FOR:

1. _____

2. _____

3. _____

DATE: _____ M T W T F S S

MY MOOD

TODAY. I AM TRULY GRATEFUL FOR:

1. _____

2. _____

3. _____

DATE: _____ M T W T F S S

MY MOOD

TODAY. I AM TRULY GRATEFUL FOR:

1. _____

2. _____

3. _____

Who is the one friend you can always rely on?

- -

DATE: _____   **M T W T F S S**   **MY MOOD**

TODAY. I AM TRULY GRATEFUL FOR:

1. _____

2. _____

3. _____

DATE: _____   **M T W T F S S**   **MY MOOD**

TODAY. I AM TRULY GRATEFUL FOR:

1. _____

2. _____

3. _____

DATE: _____   **M T W T F S S**   **MY MOOD**

TODAY. I AM TRULY GRATEFUL FOR:

1. _____

2. _____

3. _____

> *It's better to lose count while naming your blessings, than to lose your mind while counting your troubles!*

POSITIVE AFFIRMATIONS

_____

_____

_____

DATE: _____   **M T W T F S S**   **MY MOOD**

TODAY. I AM TRULY GRATEFUL FOR:

1. _____
2. _____
3. _____

DATE: _____   **M T W T F S S**   **MY MOOD**

TODAY. I AM TRULY GRATEFUL FOR:

1. _____
2. _____
3. _____

DATE: _____   **M T W T F S S**   **MY MOOD**

TODAY. I AM TRULY GRATEFUL FOR:

1. _____
2. _____
3. _____

DATE: _____   **M T W T F S S**   **MY MOOD**

TODAY. I AM TRULY GRATEFUL FOR:

1. _____
2. _____
3. _____

What is the biggest accomplishment in your personal life?

- -

DATE: _____ **M T W T F S S**

MY MOOD

TODAY. I AM TRULY GRATEFUL FOR:

1. _____
2. _____
3. _____

DATE: _____ **M T W T F S S**

MY MOOD

TODAY. I AM TRULY GRATEFUL FOR:

1. _____
2. _____
3. _____

DATE: _____ **M T W T F S S**

MY MOOD

TODAY. I AM TRULY GRATEFUL FOR:

1. _____
2. _____
3. _____

> 66 *The more grateful I am, the more beauty I see.* 99

POSITIVE AFFIRMATIONS

_____

_____

_____

DATE: _____   **M T W T F S S**   **MY MOOD**

TODAY. I AM TRULY GRATEFUL FOR:
1. _____
2. _____
3. _____

DATE: _____   **M T W T F S S**   **MY MOOD**

TODAY. I AM TRULY GRATEFUL FOR:
1. _____
2. _____
3. _____

DATE: _____   **M T W T F S S**   **MY MOOD**

TODAY. I AM TRULY GRATEFUL FOR:
1. _____
2. _____
3. _____

DATE: _____   **M T W T F S S**   **MY MOOD**

TODAY. I AM TRULY GRATEFUL FOR:
1. _____
2. _____
3. _____

What is a recent purchase that has added value to your life?

- -

DATE: _____ M T W T F S S

TODAY. I AM TRULY GRATEFUL FOR:

1. _____
2. _____
3. _____

DATE: _____ M T W T F S S

TODAY. I AM TRULY GRATEFUL FOR:

1. _____
2. _____
3. _____

DATE: _____ M T W T F S S

TODAY. I AM TRULY GRATEFUL FOR:

1. _____
2. _____
3. _____

> " *When you are grateful, fear disappears and abundance appears.* "

POSITIVE AFFIRMATIONS

_____
_____
_____

DATE: _____   **M T W T F S S**   **MY MOOD**

TODAY. I AM TRULY GRATEFUL FOR:

1. _____
2. _____
3. _____

DATE: _____   **M T W T F S S**   **MY MOOD**

TODAY. I AM TRULY GRATEFUL FOR:

1. _____
2. _____
3. _____

DATE: _____   **M T W T F S S**   **MY MOOD**

TODAY. I AM TRULY GRATEFUL FOR:

1. _____
2. _____
3. _____

DATE: _____   **M T W T F S S**   **MY MOOD**

TODAY. I AM TRULY GRATEFUL FOR:

1. _____
2. _____
3. _____

What is the biggest lesson you learned in childhood?

- -

DATE: _____ M T W T F S S

TODAY. I AM TRULY GRATEFUL FOR:

1. _____

2. _____

3. _____

DATE: _____ M T W T F S S

MY MOOD

TODAY. I AM TRULY GRATEFUL FOR:

1. _____

2. _____

3. _____

DATE: _____ M T W T F S S

MY MOOD

TODAY. I AM TRULY GRATEFUL FOR:

1. _____

2. _____

3. _____

> " When it comes to life the critical thing is whether you take things for granted or take them with gratitude. "

POSITIVE AFFIRMATIONS

_____

_____

_____

DATE: _____   M T W T F S S   MY MOOD

TODAY. I AM TRULY GRATEFUL FOR:
1. _____
2. _____
3. _____

DATE: _____   M T W T F S S   MY MOOD

TODAY. I AM TRULY GRATEFUL FOR:
1. _____
2. _____
3. _____

DATE: _____   M T W T F S S   MY MOOD

TODAY. I AM TRULY GRATEFUL FOR:
1. _____
2. _____
3. _____

DATE: _____   M T W T F S S   MY MOOD

TODAY. I AM TRULY GRATEFUL FOR:
1. _____
2. _____
3. _____

How can you pamper yourself in the next 24 hours?

- - - - - - - - - - - - -   - - - - - - - - - - - - -

DATE: _____ M T W T F S S

TODAY. I AM TRULY GRATEFUL FOR:

1. _____
2. _____
3. _____

DATE: _____ M T W T F S S

MY MOOD

TODAY. I AM TRULY GRATEFUL FOR:

1. _____
2. _____
3. _____

DATE: _____ M T W T F S S

MY MOOD

TODAY. I AM TRULY GRATEFUL FOR:

1. _____
2. _____
3. _____

> " *No duty is more urgent than giving thanks.* "

POSITIVE AFFIRMATIONS

_____
_____
_____

DATE: _____ **M T W T F S S**

TODAY. I AM TRULY GRATEFUL FOR:

1. _____
2. _____
3. _____

DATE: _____ **M T W T F S S**

MY MOOD

TODAY. I AM TRULY GRATEFUL FOR:

1. _____
2. _____
3. _____

DATE: _____ **M T W T F S S**

MY MOOD

TODAY. I AM TRULY GRATEFUL FOR:

1. _____
2. _____
3. _____

DATE: _____ **M T W T F S S**

MY MOOD

TODAY. I AM TRULY GRATEFUL FOR:

1. _____
2. _____
3. _____

What do other people like about you?

- -

DATE: _____ M T W T F S S

MY MOOD

TODAY. I AM TRULY GRATEFUL FOR:

1. _____
2. _____
3. _____

DATE: _____ M T W T F S S

MY MOOD

TODAY. I AM TRULY GRATEFUL FOR:

1. _____
2. _____
3. _____

DATE: _____ M T W T F S S

MY MOOD

TODAY. I AM TRULY GRATEFUL FOR:

1. _____
2. _____
3. _____

> **Enjoy the little things, for one day you may look back and realize they were the big things.**

POSITIVE AFFIRMATIONS

_____
_____
_____

DATE: _____ M T W T F S S   MY MOOD

TODAY. I AM TRULY GRATEFUL FOR:

1. _____

2. _____

3. _____

DATE: _____ M T W T F S S   MY MOOD

TODAY. I AM TRULY GRATEFUL FOR:

1. _____

2. _____

3. _____

DATE: _____ M T W T F S S   MY MOOD

TODAY. I AM TRULY GRATEFUL FOR:

1. _____

2. _____

3. _____

DATE: _____ M T W T F S S   MY MOOD

TODAY. I AM TRULY GRATEFUL FOR:

1. _____

2. _____

3. _____

What is your favorite part of your daily routine?

- -

DATE: _____   M T W T F S S   MY MOOD

TODAY. I AM TRULY GRATEFUL FOR:
1. _____
2. _____
3. _____

DATE: _____   M T W T F S S   MY MOOD

TODAY. I AM TRULY GRATEFUL FOR:
1. _____
2. _____
3. _____

DATE: _____   M T W T F S S   MY MOOD

TODAY. I AM TRULY GRATEFUL FOR:
1. _____
2. _____
3. _____

> " The heart that gives thanks is a happy one,
> for we cannot feel thankful and unhappy at
> the same time. "

POSITIVE AFFIRMATIONS

_____
_____
_____

DATE: _____ **M T W T F S S** MY MOOD

TODAY. I AM TRULY GRATEFUL FOR:
1. _____
2. _____
3. _____

DATE: _____ **M T W T F S S** MY MOOD

TODAY. I AM TRULY GRATEFUL FOR:
1. _____
2. _____
3. _____

DATE: _____ **M T W T F S S** MY MOOD

TODAY. I AM TRULY GRATEFUL FOR:
1. _____
2. _____
3. _____

DATE: _____ **M T W T F S S** MY MOOD

TODAY. I AM TRULY GRATEFUL FOR:
1. _____
2. _____
3. _____

What is your favorite holiday and why do you love it?

- -

DATE: _____ **M T W T F S S**

MY MOOD

TODAY. I AM TRULY GRATEFUL FOR:

1. _____
2. _____
3. _____

DATE: _____ **M T W T F S S**

MY MOOD

TODAY. I AM TRULY GRATEFUL FOR:

1. _____
2. _____
3. _____

DATE: _____ **M T W T F S S**

MY MOOD

TODAY. I AM TRULY GRATEFUL FOR:

1. _____
2. _____
3. _____

66 *If the only prayer you said was thank you, that would be enough.* 99

POSITIVE AFFIRMATIONS

_____
_____
_____

DATE: _____   M T W T F S S   MY MOOD

TODAY. I AM TRULY GRATEFUL FOR:
1. _____
2. _____
3. _____

DATE: _____   M T W T F S S   MY MOOD

TODAY. I AM TRULY GRATEFUL FOR:
1. _____
2. _____
3. _____

DATE: _____   M T W T F S S   MY MOOD

TODAY. I AM TRULY GRATEFUL FOR:
1. _____
2. _____
3. _____

DATE: _____   M T W T F S S   MY MOOD

TODAY. I AM TRULY GRATEFUL FOR:
1. _____
2. _____
3. _____

What is a great book you've recently read?

- -

DATE: _____ M T W T F S S

MY MOOD

TODAY. I AM TRULY GRATEFUL FOR:

1. _____
2. _____
3. _____

DATE: _____ M T W T F S S

MY MOOD

TODAY. I AM TRULY GRATEFUL FOR:

1. _____
2. _____
3. _____

DATE: _____ M T W T F S S

MY MOOD

TODAY. I AM TRULY GRATEFUL FOR:

1. _____
2. _____
3. _____

> 66 *Gratitude is not only the greatest of virtues, but the parent of all others.* 99

POSITIVE AFFIRMATIONS

_____
_____
_____

DATE: _____ **M T W T F S S**

MY MOOD

TODAY. I AM TRULY GRATEFUL FOR:

1. _____

2. _____

3. _____

DATE: _____ **M T W T F S S**

MY MOOD

TODAY. I AM TRULY GRATEFUL FOR:

1. _____

2. _____

3. _____

DATE: _____ **M T W T F S S**

MY MOOD

TODAY. I AM TRULY GRATEFUL FOR:

1. _____

2. _____

3. _____

DATE: _____ **M T W T F S S**

MY MOOD

TODAY. I AM TRULY GRATEFUL FOR:

1. _____

2. _____

3. _____

What is your favorite movie and why do you love it?

- -

DATE: _____   M T W T F S S   MY MOOD

TODAY. I AM TRULY GRATEFUL FOR:

1. _____

2. _____

3. _____

DATE: _____   M T W T F S S   MY MOOD

TODAY. I AM TRULY GRATEFUL FOR:

1. _____

2. _____

3. _____

DATE: _____   M T W T F S S   MY MOOD

TODAY. I AM TRULY GRATEFUL FOR:

1. _____

2. _____

3. _____

> *The soul that gives thanks can find comfort in everything; the soul that complains can find comfort in nothing.*

POSITIVE AFFIRMATIONS

_____

_____

_____

DATE: _____ **M T W T F S S**

TODAY. I AM TRULY GRATEFUL FOR:
1. _____
2. _____
3. _____

DATE: _____ **M T W T F S S**

MY MOOD

TODAY. I AM TRULY GRATEFUL FOR:
1. _____
2. _____
3. _____

DATE: _____ **M T W T F S S**

MY MOOD

TODAY. I AM TRULY GRATEFUL FOR:
1. _____
2. _____
3. _____

DATE: _____ **M T W T F S S**

MY MOOD

TODAY. I AM TRULY GRATEFUL FOR:
1. _____
2. _____
3. _____

What is your favorite food you love to indulge in?

- - - - - - - - - - - - -   - - - - - - - - - - - - - -

DATE: _____ M T W T F S S

TODAY. I AM TRULY GRATEFUL FOR:

1. _____

2. _____

3. _____

DATE: _____ M T W T F S S

MY MOOD

TODAY. I AM TRULY GRATEFUL FOR:

1. _____

2. _____

3. _____

DATE: _____ M T W T F S S

MY MOOD

TODAY. I AM TRULY GRATEFUL FOR:

1. _____

2. _____

3. _____

> **Gratitude is a powerful catalyst for happiness. It's the spark that lights a fire of joy in your soul.**

POSITIVE AFFIRMATIONS

_____

_____

_____

DATE: _____   M T W T F S S

MY MOOD

TODAY. I AM TRULY GRATEFUL FOR:

1. _____

2. _____

3. _____

DATE: _____   M T W T F S S

MY MOOD

TODAY. I AM TRULY GRATEFUL FOR:

1. _____

2. _____

3. _____

DATE: _____   M T W T F S S

MY MOOD

TODAY. I AM TRULY GRATEFUL FOR:

1. _____

2. _____

3. _____

DATE: _____   M T W T F S S

MY MOOD

TODAY. I AM TRULY GRATEFUL FOR:

1. _____

2. _____

3. _____

What is a major lesson that you learned from your job?

- - - - - - - - - - - - - - -   - - - - - - - - - - - - -

DATE: _____ M T W T F S S

MY MOOD

TODAY. I AM TRULY GRATEFUL FOR:

1. _____

2. _____

3. _____

DATE: _____ M T W T F S S

MY MOOD

TODAY. I AM TRULY GRATEFUL FOR:

1. _____

2. _____

3. _____

DATE: _____ M T W T F S S

MY MOOD

TODAY. I AM TRULY GRATEFUL FOR:

1. _____

2. _____

3. _____

> " We can only be said to be alive in those moments when our hearts are conscious of our treasures. "

POSITIVE AFFIRMATIONS

_____

_____

_____

DATE: _____ **M T W T F S S**

TODAY. I AM TRULY GRATEFUL FOR:

1. _____

2. _____

3. _____

DATE: _____ **M T W T F S S**

TODAY. I AM TRULY GRATEFUL FOR:

1. _____

2. _____

3. _____

DATE: _____ **M T W T F S S**

TODAY. I AM TRULY GRATEFUL FOR:

1. _____

2. _____

3. _____

DATE: _____ **M T W T F S S**

TODAY. I AM TRULY GRATEFUL FOR:

1. _____

2. _____

3. _____

What is one aspect of your health that you're more grateful for?

-- --

DATE: _____ M T W T F S S   MY MOOD

TODAY. I AM TRULY GRATEFUL FOR:

1. _____

2. _____

3. _____

DATE: _____ M T W T F S S   MY MOOD

TODAY. I AM TRULY GRATEFUL FOR:

1. _____

2. _____

3. _____

DATE: _____ M T W T F S S   MY MOOD

TODAY. I AM TRULY GRATEFUL FOR:

1. _____

2. _____

3. _____

> *Gratitude goes beyond the 'mine' and 'thine' and claims the truth that all of life is a pure gift.*

POSITIVE AFFIRMATIONS

_____

_____

_____

DATE: _____ M T W T F S S

MY MOOD

TODAY. I AM TRULY GRATEFUL FOR:
1. _____
2. _____
3. _____

DATE: _____ M T W T F S S

MY MOOD

TODAY. I AM TRULY GRATEFUL FOR:
1. _____
2. _____
3. _____

DATE: _____ M T W T F S S

MY MOOD

TODAY. I AM TRULY GRATEFUL FOR:
1. _____
2. _____
3. _____

DATE: _____ M T W T F S S

MY MOOD

TODAY. I AM TRULY GRATEFUL FOR:
1. _____
2. _____
3. _____

What was something you did for the first time recently?

- -

DATE: _____ M T W T F S S

TODAY. I AM TRULY GRATEFUL FOR:

1. _____
2. _____
3. _____

DATE: _____ M T W T F S S

MY MOOD

TODAY. I AM TRULY GRATEFUL FOR:

1. _____
2. _____
3. _____

DATE: _____ M T W T F S S

MY MOOD

TODAY. I AM TRULY GRATEFUL FOR:

1. _____
2. _____
3. _____

> *Appreciation can make a day, even change a life. Your willingness to put it into words is all that is necessary.*

POSITIVE AFFIRMATIONS

_____
_____
_____

DATE: _____   M T W T F S S

TODAY. I AM TRULY GRATEFUL FOR:

MY MOOD

1. _____

2. _____

3. _____

DATE: _____   M T W T F S S

TODAY. I AM TRULY GRATEFUL FOR:

MY MOOD

1. _____

2. _____

3. _____

DATE: _____   M T W T F S S

TODAY. I AM TRULY GRATEFUL FOR:

MY MOOD

1. _____

2. _____

3. _____

DATE: _____   M T W T F S S

TODAY. I AM TRULY GRATEFUL FOR:

MY MOOD

1. _____

2. _____

3. _____

What are a few aspects of modern technology that you love?

- - - - - - - - - - - - - -   - - - - - - - - - - - - - -

DATE: _____ M T W T F S S   MY MOOD

TODAY. I AM TRULY GRATEFUL FOR:

1. _____

2. _____

3. _____

DATE: _____ M T W T F S S   MY MOOD

TODAY. I AM TRULY GRATEFUL FOR:

1. _____

2. _____

3. _____

DATE: _____ M T W T F S S   MY MOOD

TODAY. I AM TRULY GRATEFUL FOR:

1. _____

2. _____

3. _____

> *Acknowledging the good that you already have in your life is the foundation for all abundance.*

POSITIVE AFFIRMATIONS

_____

_____

_____

DATE: _____ **M T W T F S S**

MY MOOD

TODAY. I AM TRULY GRATEFUL FOR:

1. _____
2. _____
3. _____

DATE: _____ **M T W T F S S**

MY MOOD

TODAY. I AM TRULY GRATEFUL FOR:

1. _____
2. _____
3. _____

DATE: _____ **M T W T F S S**

MY MOOD

TODAY. I AM TRULY GRATEFUL FOR:

1. _____
2. _____
3. _____

DATE: _____ **M T W T F S S**

MY MOOD

TODAY. I AM TRULY GRATEFUL FOR:

1. _____
2. _____
3. _____

What is the last thank you note you've received and why?

_ _

DATE: _____ M T W T F S S

TODAY. I AM TRULY GRATEFUL FOR:

1. _____

2. _____

3. _____

DATE: _____ M T W T F S S

MY MOOD

TODAY. I AM TRULY GRATEFUL FOR:

1. _____

2. _____

3. _____

DATE: _____ M T W T F S S

MY MOOD

TODAY. I AM TRULY GRATEFUL FOR:

1. _____

2. _____

3. _____

> 66 *Strive to find things to be thankful for, and just look for the good in who you are.* 99

POSITIVE AFFIRMATIONS

_____

_____

_____

DATE: _____ M T W T F S S MY MOOD

TODAY. I AM TRULY GRATEFUL FOR:
1. _____
2. _____
3. _____

DATE: _____ M T W T F S S MY MOOD

TODAY. I AM TRULY GRATEFUL FOR:
1. _____
2. _____
3. _____

DATE: _____ M T W T F S S MY MOOD

TODAY. I AM TRULY GRATEFUL FOR:
1. _____
2. _____
3. _____

DATE: _____ M T W T F S S MY MOOD

TODAY. I AM TRULY GRATEFUL FOR:
1. _____
2. _____
3. _____

What is a small win that you accomplished in the past 24 hours?
- - - - - - - - - - - - - - - -   - - - - - - - - - - - - - -

DATE: _____ M T W T F S S

TODAY. I AM TRULY GRATEFUL FOR:

1. _____

2. _____

3. _____

DATE: _____ M T W T F S S

MY MOOD

TODAY. I AM TRULY GRATEFUL FOR:

1. _____

2. _____

3. _____

DATE: _____ M T W T F S S

MY MOOD

TODAY. I AM TRULY GRATEFUL FOR:

1. _____

2. _____

3. _____

> *Appreciation is a wonderful thing. It makes what is excellent in others belong to us as well.*

POSITIVE AFFIRMATIONS

_____

_____

_____

DATE: _____ **M T W T F S S**

MY MOOD

TODAY. I AM TRULY GRATEFUL FOR:

1. _____

2. _____

3. _____

DATE: _____ **M T W T F S S**

MY MOOD

TODAY. I AM TRULY GRATEFUL FOR:

1. _____

2. _____

3. _____

DATE: _____ **M T W T F S S**

MY MOOD

TODAY. I AM TRULY GRATEFUL FOR:

1. _____

2. _____

3. _____

DATE: _____ **M T W T F S S**

MY MOOD

TODAY. I AM TRULY GRATEFUL FOR:

1. _____

2. _____

3. _____

What is your favorite season and what do you like about it?

- -

DATE: _____   **M T W T F S S**   **MY MOOD**

TODAY. I AM TRULY GRATEFUL FOR:

1. _____

2. _____

3. _____

DATE: _____   **M T W T F S S**   **MY MOOD**

TODAY. I AM TRULY GRATEFUL FOR:

1. _____

2. _____

3. _____

DATE: _____   **M T W T F S S**   **MY MOOD**

TODAY. I AM TRULY GRATEFUL FOR:

1. _____

2. _____

3. _____

> **We should certainly count our blessings, but we should also make our blessings count.**

POSITIVE AFFIRMATIONS

_____

_____

_____

DATE: _____   M T W T F S S   MY MOOD

TODAY. I AM TRULY GRATEFUL FOR:
1. _____
2. _____
3. _____

DATE: _____   M T W T F S S   MY MOOD

TODAY. I AM TRULY GRATEFUL FOR:
1. _____
2. _____
3. _____

DATE: _____   M T W T F S S   MY MOOD

TODAY. I AM TRULY GRATEFUL FOR:
1. _____
2. _____
3. _____

DATE: _____   M T W T F S S   MY MOOD

TODAY. I AM TRULY GRATEFUL FOR:
1. _____
2. _____
3. _____

What are you most looking forward to this week?

- -

DATE: _____ M T W T F S S

TODAY. I AM TRULY GRATEFUL FOR:

1. _____

2. _____

3. _____

DATE: _____ M T W T F S S

TODAY. I AM TRULY GRATEFUL FOR:

1. _____

2. _____

3. _____

DATE: _____ M T W T F S S

TODAY. I AM TRULY GRATEFUL FOR:

1. _____

2. _____

3. _____

> 66 *We can only be said to be alive in those moments when our hearts are conscious of our treasures.* 99

POSITIVE AFFIRMATIONS

_____

_____

_____

DATE: _____ **M T W T F S S**

TODAY. I AM TRULY GRATEFUL FOR:

1. _____
2. _____
3. _____

DATE: _____ **M T W T F S S**

MY MOOD

TODAY. I AM TRULY GRATEFUL FOR:

1. _____
2. _____
3. _____

DATE: _____ **M T W T F S S**

MY MOOD

TODAY. I AM TRULY GRATEFUL FOR:

1. _____
2. _____
3. _____

DATE: _____ **M T W T F S S**

MY MOOD

TODAY. I AM TRULY GRATEFUL FOR:

1. _____
2. _____
3. _____

What activity do you enjoy most when alone?

- -

DATE: _____   M T W T F S S   **MY MOOD**

TODAY. I AM TRULY GRATEFUL FOR:

1. _____
2. _____
3. _____

DATE: _____   M T W T F S S   **MY MOOD**

TODAY. I AM TRULY GRATEFUL FOR:

1. _____
2. _____
3. _____

DATE: _____   M T W T F S S   **MY MOOD**

TODAY. I AM TRULY GRATEFUL FOR:

1. _____
2. _____
3. _____

> " *The soul that gives thanks can find comfort in everything; the soul that complains can find comfort in nothing.* "

POSITIVE AFFIRMATIONS

_____
_____
_____

DATE: _____ M T W T F S S

TODAY. I AM TRULY GRATEFUL FOR:

1. _____
2. _____
3. _____

DATE: _____ M T W T F S S

MY MOOD

TODAY. I AM TRULY GRATEFUL FOR:

1. _____
2. _____
3. _____

DATE: _____ M T W T F S S

MY MOOD

TODAY. I AM TRULY GRATEFUL FOR:

1. _____
2. _____
3. _____

DATE: _____ M T W T F S S

MY MOOD

TODAY. I AM TRULY GRATEFUL FOR:

1. _____
2. _____
3. _____

What's the best gift you've ever received?

- -

DATE: _____ M T W T F S S

MY MOOD

TODAY. I AM TRULY GRATEFUL FOR:

1. _____
2. _____
3. _____

DATE: _____ M T W T F S S

MY MOOD

TODAY. I AM TRULY GRATEFUL FOR:

1. _____
2. _____
3. _____

DATE: _____ M T W T F S S

MY MOOD

TODAY. I AM TRULY GRATEFUL FOR:

1. _____
2. _____
3. _____

> *Gratitude makes sense of our past, brings peace for today, and creates a vision for tomorrow.*

POSITIVE AFFIRMATIONS

_____
_____
_____

DATE: _____ M T W T F S S   MY MOOD

TODAY. I AM TRULY GRATEFUL FOR:

1. _____

2. _____

3. _____

DATE: _____ M T W T F S S   MY MOOD

TODAY. I AM TRULY GRATEFUL FOR:

1. _____

2. _____

3. _____

DATE: _____ M T W T F S S   MY MOOD

TODAY. I AM TRULY GRATEFUL FOR:

1. _____

2. _____

3. _____

DATE: _____ M T W T F S S   MY MOOD

TODAY. I AM TRULY GRATEFUL FOR:

1. _____

2. _____

3. _____

What aspects of your job do you enjoy the most?

- -

DATE: _____ **M T W T F S S**

TODAY. I AM TRULY GRATEFUL FOR:

1. _____
2. _____
3. _____

DATE: _____ **M T W T F S S**

TODAY. I AM TRULY GRATEFUL FOR:

1. _____
2. _____
3. _____

DATE: _____ **M T W T F S S**

TODAY. I AM TRULY GRATEFUL FOR:

1. _____
2. _____
3. _____

> *Some people grumble that roses have thorns;*
> *I am grateful that thorns have roses.*

POSITIVE AFFIRMATIONS

_____

_____

_____

DATE: _____ M T W T F S S   MY MOOD

TODAY. I AM TRULY GRATEFUL FOR:

1. _____

2. _____

3. _____

DATE: _____ M T W T F S S   MY MOOD

TODAY. I AM TRULY GRATEFUL FOR:

1. _____

2. _____

3. _____

DATE: _____ M T W T F S S   MY MOOD

TODAY. I AM TRULY GRATEFUL FOR:

1. _____

2. _____

3. _____

DATE: _____ M T W T F S S   MY MOOD

TODAY. I AM TRULY GRATEFUL FOR:

1. _____

2. _____

3. _____

What is the biggest accomplishment in your professional life?

- -

DATE: _____ M T W T F S S

MY MOOD

TODAY. I AM TRULY GRATEFUL FOR:

1. _____
2. _____
3. _____

DATE: _____ M T W T F S S

MY MOOD

TODAY. I AM TRULY GRATEFUL FOR:

1. _____
2. _____
3. _____

DATE: _____ M T W T F S S

MY MOOD

TODAY. I AM TRULY GRATEFUL FOR:

1. _____
2. _____
3. _____

66 *Gratitude will shift you to a higher frequency, and you will attract much better things.* 99

POSITIVE AFFIRMATIONS

_____
_____
_____

DATE: _____   M T W T F S S   MY MOOD

TODAY. I AM TRULY GRATEFUL FOR:

1. _____
2. _____
3. _____

DATE: _____   M T W T F S S   MY MOOD

TODAY. I AM TRULY GRATEFUL FOR:

1. _____
2. _____
3. _____

DATE: _____   M T W T F S S   MY MOOD

TODAY. I AM TRULY GRATEFUL FOR:

1. _____
2. _____
3. _____

DATE: _____   M T W T F S S   MY MOOD

TODAY. I AM TRULY GRATEFUL FOR:

1. _____
2. _____
3. _____

What activity do you enjoy when with others?

- - - - - - - - - - - - -   - - - - - - - - - - - -

DATE: _____ M T W T F S S

TODAY. I AM TRULY GRATEFUL FOR:

1. _____
2. _____
3. _____

DATE: _____ M T W T F S S

MY MOOD

TODAY. I AM TRULY GRATEFUL FOR:

1. _____
2. _____
3. _____

DATE: _____ M T W T F S S

MY MOOD

TODAY. I AM TRULY GRATEFUL FOR:

1. _____
2. _____
3. _____

> ❝ Learn to be thankful for what you already have, while you pursue all that you want. ❞

POSITIVE AFFIRMATIONS

_____
_____
_____

DATE: _____ M T W T F S S   MY MOOD

TODAY. I AM TRULY GRATEFUL FOR:

1. _____
2. _____
3. _____

DATE: _____ M T W T F S S   MY MOOD

TODAY. I AM TRULY GRATEFUL FOR:

1. _____
2. _____
3. _____

DATE: _____ M T W T F S S   MY MOOD

TODAY. I AM TRULY GRATEFUL FOR:

1. _____
2. _____
3. _____

DATE: _____ M T W T F S S   MY MOOD

TODAY. I AM TRULY GRATEFUL FOR:

1. _____
2. _____
3. _____

What is something that you've recently fixed?

- - - - - - - - - - - - - - - - - -   - - - - - - - - - - - - - -

DATE: _____ M T W T F S S

TODAY. I AM TRULY GRATEFUL FOR:

1. _____
2. _____
3. _____

DATE: _____ M T W T F S S

TODAY. I AM TRULY GRATEFUL FOR:

1. _____
2. _____
3. _____

DATE: _____ M T W T F S S

TODAY. I AM TRULY GRATEFUL FOR:

1. _____
2. _____
3. _____

> " *Gratitude unlocks the fullness of life. It turns what we have into enough, and more.* "

POSITIVE AFFIRMATIONS

_____
_____
_____

DATE: _____   M T W T F S S   MY MOOD

TODAY. I AM TRULY GRATEFUL FOR:

1. _____
2. _____
3. _____

DATE: _____   M T W T F S S   MY MOOD

TODAY. I AM TRULY GRATEFUL FOR:

1. _____
2. _____
3. _____

DATE: _____   M T W T F S S   MY MOOD

TODAY. I AM TRULY GRATEFUL FOR:

1. _____
2. _____
3. _____

DATE: _____   M T W T F S S   MY MOOD

TODAY. I AM TRULY GRATEFUL FOR:

1. _____
2. _____
3. _____

What makes you happy when you're feeling down?

- -

DATE: _____ M T W T F S S MY MOOD

TODAY. I AM TRULY GRATEFUL FOR:

1. _____
2. _____
3. _____

DATE: _____ M T W T F S S MY MOOD

TODAY. I AM TRULY GRATEFUL FOR:

1. _____
2. _____
3. _____

DATE: _____ M T W T F S S MY MOOD

TODAY. I AM TRULY GRATEFUL FOR:

1. _____
2. _____
3. _____

> " When you look at life through the eyes of
> gratitude, the world becomes a magical and
> amazing place. "

POSITIVE AFFIRMATIONS

_____
_____
_____

DATE: _____   **M T W T F S S**   **MY MOOD**

TODAY. I AM TRULY GRATEFUL FOR:

1. _____
2. _____
3. _____

DATE: _____   **M T W T F S S**   **MY MOOD**

TODAY. I AM TRULY GRATEFUL FOR:

1. _____
2. _____
3. _____

DATE: _____   **M T W T F S S**   **MY MOOD**

TODAY. I AM TRULY GRATEFUL FOR:

1. _____
2. _____
3. _____

DATE: _____   **M T W T F S S**   **MY MOOD**

TODAY. I AM TRULY GRATEFUL FOR:

1. _____
2. _____
3. _____

What gift did you enjoy receiving in the past year?

- -

DATE: _____ M T W T F S S MY MOOD

TODAY. I AM TRULY GRATEFUL FOR:

1. _____

2. _____

3. _____

DATE: _____ M T W T F S S MY MOOD

TODAY. I AM TRULY GRATEFUL FOR:

1. _____

2. _____

3. _____

DATE: _____ M T W T F S S MY MOOD

TODAY. I AM TRULY GRATEFUL FOR:

1. _____

2. _____

3. _____

66 *The real gift of gratitude is that the more grateful you are, the more present you become.* 99

POSITIVE AFFIRMATIONS

_____

_____

_____

DATE: _____ M T W T F S S

MY MOOD

TODAY. I AM TRULY GRATEFUL FOR:

1. _____

2. _____

3. _____

DATE: _____ M T W T F S S

MY MOOD

TODAY. I AM TRULY GRATEFUL FOR:

1. _____

2. _____

3. _____

DATE: _____ M T W T F S S

MY MOOD

TODAY. I AM TRULY GRATEFUL FOR:

1. _____

2. _____

3. _____

DATE: _____ M T W T F S S

MY MOOD

TODAY. I AM TRULY GRATEFUL FOR:

1. _____

2. _____

3. _____

What is your top goal? Why is this goal important to you?

- -

DATE: _____   M T W T F S S

TODAY. I AM TRULY GRATEFUL FOR:

1. _____

2. _____

3. _____

DATE: _____   M T W T F S S

MY MOOD

TODAY. I AM TRULY GRATEFUL FOR:

1. _____

2. _____

3. _____

DATE: _____   M T W T F S S

MY MOOD

TODAY. I AM TRULY GRATEFUL FOR:

1. _____

2. _____

3. _____

> *It is impossible to feel grateful and depressed in the same moment.*

POSITIVE AFFIRMATIONS

_____

_____

_____

DATE: _____ M T W T F S S | MY MOOD

TODAY. I AM TRULY GRATEFUL FOR:

1. _____

2. _____

3. _____

DATE: _____ M T W T F S S | MY MOOD

TODAY. I AM TRULY GRATEFUL FOR:

1. _____

2. _____

3. _____

DATE: _____ M T W T F S S | MY MOOD

TODAY. I AM TRULY GRATEFUL FOR:

1. _____

2. _____

3. _____

DATE: _____ M T W T F S S | MY MOOD

TODAY. I AM TRULY GRATEFUL FOR:

1. _____

2. _____

3. _____

What is your favorite emotion to feel?

- - - - - - - - - - - - -   - - - - - - - - - - - - -

DATE: _____ M T W T F S S

MY MOOD

TODAY. I AM TRULY GRATEFUL FOR:

1. _____
2. _____
3. _____

DATE: _____ M T W T F S S

MY MOOD

TODAY. I AM TRULY GRATEFUL FOR:

1. _____
2. _____
3. _____

DATE: _____ M T W T F S S

MY MOOD

TODAY. I AM TRULY GRATEFUL FOR:

1. _____
2. _____
3. _____

> **Gratitude is a currency that we can mint for ourselves, and spend without fear of bankruptcy.**

POSITIVE AFFIRMATIONS

_____
_____
_____

DATE: _____ M T W T F S S

MY MOOD

TODAY. I AM TRULY GRATEFUL FOR:

1. _____
2. _____
3. _____

DATE: _____ M T W T F S S

MY MOOD

TODAY. I AM TRULY GRATEFUL FOR:

1. _____
2. _____
3. _____

DATE: _____ M T W T F S S

MY MOOD

TODAY. I AM TRULY GRATEFUL FOR:

1. _____
2. _____
3. _____

DATE: _____ M T W T F S S

MY MOOD

TODAY. I AM TRULY GRATEFUL FOR:

1. _____
2. _____
3. _____

Name 5 things you are doing well currently.

- -

DATE: _____   **M T W T F S S**   MY MOOD

TODAY. I AM TRULY GRATEFUL FOR:

1. _____
2. _____
3. _____

DATE: _____   **M T W T F S S**   MY MOOD

TODAY. I AM TRULY GRATEFUL FOR:

1. _____
2. _____
3. _____

DATE: _____   **M T W T F S S**   MY MOOD

TODAY. I AM TRULY GRATEFUL FOR:

1. _____
2. _____
3. _____

> 66 *A grateful mind is a great mind which eventually attracts to itself great things.* 99

POSITIVE AFFIRMATIONS

_____
_____
_____

DATE: _____ M T W T F S S   MY MOOD

TODAY. I AM TRULY GRATEFUL FOR:

1. _____

2. _____

3. _____

DATE: _____ M T W T F S S   MY MOOD

TODAY. I AM TRULY GRATEFUL FOR:

1. _____

2. _____

3. _____

DATE: _____ M T W T F S S   MY MOOD

TODAY. I AM TRULY GRATEFUL FOR:

1. _____

2. _____

3. _____

DATE: _____ M T W T F S S   MY MOOD

TODAY. I AM TRULY GRATEFUL FOR:

1. _____

2. _____

3. _____

Name 3 things that always put a smile on your face.

- -

DATE: _____   M T W T F S S

MY MOOD

TODAY. I AM TRULY GRATEFUL FOR:

1. _____
2. _____
3. _____

DATE: _____   M T W T F S S

MY MOOD

TODAY. I AM TRULY GRATEFUL FOR:

1. _____
2. _____
3. _____

DATE: _____   M T W T F S S

MY MOOD

TODAY. I AM TRULY GRATEFUL FOR:

1. _____
2. _____
3. _____

> *Now is no time to think of what you do not have.*
> *Think of what you can do with what there is.*

POSITIVE AFFIRMATIONS

_____
_____
_____

DATE: _____ M T W T F S S

MY MOOD

TODAY. I AM TRULY GRATEFUL FOR:

1. _____
2. _____
3. _____

DATE: _____ M T W T F S S

MY MOOD

TODAY. I AM TRULY GRATEFUL FOR:

1. _____
2. _____
3. _____

DATE: _____ M T W T F S S

MY MOOD

TODAY. I AM TRULY GRATEFUL FOR:

1. _____
2. _____
3. _____

DATE: _____ M T W T F S S

MY MOOD

TODAY. I AM TRULY GRATEFUL FOR:

1. _____
2. _____
3. _____

What is something beautiful you saw today?

- -

DATE: _____ M T W T F S S   MY MOOD

TODAY. I AM TRULY GRATEFUL FOR:

1. _____

2. _____

3. _____

DATE: _____ M T W T F S S   MY MOOD

TODAY. I AM TRULY GRATEFUL FOR:

1. _____

2. _____

3. _____

DATE: _____ M T W T F S S   MY MOOD

TODAY. I AM TRULY GRATEFUL FOR:

1. _____

2. _____

3. _____

> ❝ *God gave you a gift of 84600 seconds today.*
> *Have you used one of them to say thank you?* ❞

POSITIVE AFFIRMATIONS

_____

_____

_____

DATE: _____   M T W T F S S   MY MOOD

TODAY. I AM TRULY GRATEFUL FOR:

1. _____

2. _____

3. _____

DATE: _____   M T W T F S S   MY MOOD

TODAY. I AM TRULY GRATEFUL FOR:

1. _____

2. _____

3. _____

DATE: _____   M T W T F S S   MY MOOD

TODAY. I AM TRULY GRATEFUL FOR:

1. _____

2. _____

3. _____

DATE: _____   M T W T F S S   MY MOOD

TODAY. I AM TRULY GRATEFUL FOR:

1. _____

2. _____

3. _____

What things do you own that make life easier?

- - - - - - - - - - - -   - - - - - - - - - - - -

DATE: _____ M T W T F S S

TODAY. I AM TRULY GRATEFUL FOR:

1. _____

2. _____

3. _____

DATE: _____ M T W T F S S

TODAY. I AM TRULY GRATEFUL FOR:

1. _____

2. _____

3. _____

DATE: _____ M T W T F S S

TODAY. I AM TRULY GRATEFUL FOR:

1. _____

2. _____

3. _____

> " *Gratitude and attitude are not challenges; they are choices.* "

POSITIVE AFFIRMATIONS

_____

_____

_____

DATE: _____   M T W T F S S   MY MOOD

TODAY. I AM TRULY GRATEFUL FOR:

1. _____

2. _____

3. _____

DATE: _____   M T W T F S S   MY MOOD

TODAY. I AM TRULY GRATEFUL FOR:

1. _____

2. _____

3. _____

DATE: _____   M T W T F S S   MY MOOD

TODAY. I AM TRULY GRATEFUL FOR:

1. _____

2. _____

3. _____

DATE: _____   M T W T F S S   MY MOOD

TODAY. I AM TRULY GRATEFUL FOR:

1. _____

2. _____

3. _____

What about nature are you grateful for?

- - - - - - - - - - - - - - -   - - - - - - - - - - - - - - -

DATE: _____ **M T W T F S S**

TODAY. I AM TRULY GRATEFUL FOR:

1. _____

2. _____

3. _____

DATE: _____ **M T W T F S S**

TODAY. I AM TRULY GRATEFUL FOR:

1. _____

2. _____

3. _____

DATE: _____ **M T W T F S S**

TODAY. I AM TRULY GRATEFUL FOR:

1. _____

2. _____

3. _____

> 66 *What can you do right now to turn your life around? Gratitude!* 99

POSITIVE AFFIRMATIONS

_____

_____

_____

DATE: _____ **M T W T F S S**

MY MOOD

TODAY. I AM TRULY GRATEFUL FOR:

1. _____
2. _____
3. _____

DATE: _____ **M T W T F S S**

MY MOOD

TODAY. I AM TRULY GRATEFUL FOR:

1. _____
2. _____
3. _____

DATE: _____ **M T W T F S S**

MY MOOD

TODAY. I AM TRULY GRATEFUL FOR:

1. _____
2. _____
3. _____

DATE: _____ **M T W T F S S**

MY MOOD

TODAY. I AM TRULY GRATEFUL FOR:

1. _____
2. _____
3. _____

What things made you laugh out loud this week?

- - - - - - - - - - - - - - - -   - - - - - - - - - - - - -

DATE: _____ M T W T F S S

MY MOOD

TODAY. I AM TRULY GRATEFUL FOR:

1. _____

2. _____

3. _____

DATE: _____ M T W T F S S

MY MOOD

TODAY. I AM TRULY GRATEFUL FOR:

1. _____

2. _____

3. _____

DATE: _____ M T W T F S S

MY MOOD

TODAY. I AM TRULY GRATEFUL FOR:

1. _____

2. _____

3. _____

> " *He is a wise man who does not grieve for the things which he has not, but rejoices for those which he has.* "

POSITIVE AFFIRMATIONS

_____

_____

_____

DATE: _____ M T W T F S S

TODAY. I AM TRULY GRATEFUL FOR:

1. _____

2. _____

3. _____

DATE: _____ M T W T F S S

MY MOOD

TODAY. I AM TRULY GRATEFUL FOR:

1. _____

2. _____

3. _____

DATE: _____ M T W T F S S

MY MOOD

TODAY. I AM TRULY GRATEFUL FOR:

1. _____

2. _____

3. _____

DATE: _____ M T W T F S S

MY MOOD

TODAY. I AM TRULY GRATEFUL FOR:

1. _____

2. _____

3. _____

What meals do you most enjoy making or eating?

- - - - - - - - - - - - - - - - - - - - - - - - - - -

DATE: _____ M T W T F S S

TODAY. I AM TRULY GRATEFUL FOR:

1. _____
2. _____
3. _____

DATE: _____ M T W T F S S

TODAY. I AM TRULY GRATEFUL FOR:

1. _____
2. _____
3. _____

DATE: _____ M T W T F S S

TODAY. I AM TRULY GRATEFUL FOR:

1. _____
2. _____
3. _____

> *If you want to turn your life around, try thankfulness. It will change your life mightily.*

POSITIVE AFFIRMATIONS

_____
_____
_____

DATE: _____ M T W T F S S   MY MOOD

TODAY. I AM TRULY GRATEFUL FOR:
1. _____
2. _____
3. _____

DATE: _____ M T W T F S S   MY MOOD

TODAY. I AM TRULY GRATEFUL FOR:
1. _____
2. _____
3. _____

DATE: _____ M T W T F S S   MY MOOD

TODAY. I AM TRULY GRATEFUL FOR:
1. _____
2. _____
3. _____

DATE: _____ M T W T F S S   MY MOOD

TODAY. I AM TRULY GRATEFUL FOR:
1. _____
2. _____
3. _____

What's a simple pleasure that you're grateful for?
- - - - - - - - - - - - - - - - - - - - - - - - - - - -

DATE: _____ M T W T F S S   MY MOOD

TODAY. I AM TRULY GRATEFUL FOR:

1. _____

2. _____

3. _____

DATE: _____ M T W T F S S   MY MOOD

TODAY. I AM TRULY GRATEFUL FOR:

1. _____

2. _____

3. _____

DATE: _____ M T W T F S S   MY MOOD

TODAY. I AM TRULY GRATEFUL FOR:

1. _____

2. _____

3. _____

> 66 *Gratitude also opens your eyes to the limitless potential of the universe, while dissatisfaction closes your eyes to it.* 99

POSITIVE AFFIRMATIONS

_____

_____

_____

DATE: _____ M T W T F S S   MY MOOD

TODAY. I AM TRULY GRATEFUL FOR:

1. _____

2. _____

3. _____

DATE: _____ M T W T F S S   MY MOOD

TODAY. I AM TRULY GRATEFUL FOR:

1. _____

2. _____

3. _____

DATE: _____ M T W T F S S   MY MOOD

TODAY. I AM TRULY GRATEFUL FOR:

1. _____

2. _____

3. _____

DATE: _____ M T W T F S S   MY MOOD

TODAY. I AM TRULY GRATEFUL FOR:

1. _____

2. _____

3. _____

What have you been given that you're grateful for?

- - - - - - - - - - - - -   - - - - - - - - - - - - -

DATE: _____ M T W T F S S MY MOOD

TODAY. I AM TRULY GRATEFUL FOR:

1. _____
2. _____
3. _____

DATE: _____ M T W T F S S MY MOOD

TODAY. I AM TRULY GRATEFUL FOR:

1. _____
2. _____
3. _____

DATE: _____ M T W T F S S MY MOOD

TODAY. I AM TRULY GRATEFUL FOR:

1. _____
2. _____
3. _____

> *Showing gratitude is one of the simplest yet most powerful things humans can do for each other.*

POSITIVE AFFIRMATIONS

_____
_____
_____

DATE: _____   M T W T F S S   **MY MOOD**

TODAY. I AM TRULY GRATEFUL FOR:

1. _____

2. _____

3. _____

DATE: _____   M T W T F S S   **MY MOOD**

TODAY. I AM TRULY GRATEFUL FOR:

1. _____

2. _____

3. _____

DATE: _____   M T W T F S S   **MY MOOD**

TODAY. I AM TRULY GRATEFUL FOR:

1. _____

2. _____

3. _____

DATE: _____   M T W T F S S   **MY MOOD**

TODAY. I AM TRULY GRATEFUL FOR:

1. _____

2. _____

3. _____

What's something or someone that makes you feel safe?

- - - - - - - - - - - - - - -   - - - - - - - - - - - - -

DATE: _____ M T W T F S S　　　MY MOOD

TODAY. I AM TRULY GRATEFUL FOR:

1. _____
2. _____
3. _____

DATE: _____ M T W T F S S　　　MY MOOD

TODAY. I AM TRULY GRATEFUL FOR:

1. _____
2. _____
3. _____

DATE: _____ M T W T F S S　　　MY MOOD

TODAY. I AM TRULY GRATEFUL FOR:

1. _____
2. _____
3. _____

66 *To live a life fulfilled reflect on the things you have with gratitude.* 99

POSITIVE AFFIRMATIONS

_____
_____
_____

DATE: _____ M T W T F S S

TODAY. I AM TRULY GRATEFUL FOR:

1. _____

2. _____

3. _____

DATE: _____ M T W T F S S

MY MOOD

TODAY. I AM TRULY GRATEFUL FOR:

1. _____

2. _____

3. _____

DATE: _____ M T W T F S S

MY MOOD

TODAY. I AM TRULY GRATEFUL FOR:

1. _____

2. _____

3. _____

DATE: _____ M T W T F S S

MY MOOD

TODAY. I AM TRULY GRATEFUL FOR:

1. _____

2. _____

3. _____

What mistake or failure are you grateful for?

- - - - - - - - - - - - -   - - - - - - - - - - - - -

DATE: _____ M T W T F S S   MY MOOD

TODAY. I AM TRULY GRATEFUL FOR:
1. _____
2. _____
3. _____

DATE: _____ M T W T F S S   MY MOOD

TODAY. I AM TRULY GRATEFUL FOR:
1. _____
2. _____
3. _____

DATE: _____ M T W T F S S   MY MOOD

TODAY. I AM TRULY GRATEFUL FOR:
1. _____
2. _____
3. _____

> 66 *When we give cheerfully and accept gratefully, everyone is blessed.* 99

POSITIVE AFFIRMATIONS

_____
_____
_____

DATE: _____   M T W T F S S

MY MOOD

TODAY. I AM TRULY GRATEFUL FOR:

1. _____
2. _____
3. _____

DATE: _____   M T W T F S S

MY MOOD

TODAY. I AM TRULY GRATEFUL FOR:

1. _____
2. _____
3. _____

DATE: _____   M T W T F S S

MY MOOD

TODAY. I AM TRULY GRATEFUL FOR:

1. _____
2. _____
3. _____

DATE: _____   M T W T F S S

MY MOOD

TODAY. I AM TRULY GRATEFUL FOR:

1. _____
2. _____
3. _____

What's a tradition that you're grateful for?

- - - - - - - - - - - -   - - - - - - - - - - - -

DATE: _____ M T W T F S S

TODAY. I AM TRULY GRATEFUL FOR:

1. _____
2. _____
3. _____

DATE: _____ M T W T F S S

TODAY. I AM TRULY GRATEFUL FOR:

1. _____
2. _____
3. _____

DATE: _____ M T W T F S S

TODAY. I AM TRULY GRATEFUL FOR:

1. _____
2. _____
3. _____

❝ *I'm grateful always for this moment, the now, no matter what form it takes.* ❞

POSITIVE AFFIRMATIONS

_____
_____
_____

DATE: _____ M T W T F S S

TODAY. I AM TRULY GRATEFUL FOR:

1. _____

2. _____

3. _____

DATE: _____ M T W T F S S

MY MOOD

TODAY. I AM TRULY GRATEFUL FOR:

1. _____

2. _____

3. _____

DATE: _____ M T W T F S S

MY MOOD

TODAY. I AM TRULY GRATEFUL FOR:

1. _____

2. _____

3. _____

DATE: _____ M T W T F S S

MY MOOD

TODAY. I AM TRULY GRATEFUL FOR:

1. _____

2. _____

3. _____

Name three everyday objects that you are grateful for.

- - - - - - - - - - - - - -   - - - - - - - - - - - - -

DATE: _____ **M T W T F S S**   MY MOOD

TODAY. I AM TRULY GRATEFUL FOR:

1. _____

2. _____

3. _____

DATE: _____ **M T W T F S S**   MY MOOD

TODAY. I AM TRULY GRATEFUL FOR:

1. _____

2. _____

3. _____

DATE: _____ **M T W T F S S**   MY MOOD

TODAY. I AM TRULY GRATEFUL FOR:

1. _____

2. _____

3. _____

> 66 *We often take for granted the very things that most deserve our gratitude.* 99

POSITIVE AFFIRMATIONS

_____

_____

_____

DATE: _____ M T W T F S S   MY MOOD

TODAY. I AM TRULY GRATEFUL FOR:
1. _____
2. _____
3. _____

DATE: _____ M T W T F S S   MY MOOD

TODAY. I AM TRULY GRATEFUL FOR:
1. _____
2. _____
3. _____

DATE: _____ M T W T F S S   MY MOOD

TODAY. I AM TRULY GRATEFUL FOR:
1. _____
2. _____
3. _____

DATE: _____ M T W T F S S   MY MOOD

TODAY. I AM TRULY GRATEFUL FOR:
1. _____
2. _____
3. _____

What is something you take for granted?

- -

DATE: _____ M T W T F S S

TODAY. I AM TRULY GRATEFUL FOR:

1. _____
2. _____
3. _____

DATE: _____ M T W T F S S

MY MOOD

TODAY. I AM TRULY GRATEFUL FOR:

1. _____
2. _____
3. _____

DATE: _____ M T W T F S S

MY MOOD

TODAY. I AM TRULY GRATEFUL FOR:

1. _____
2. _____
3. _____

> 66 *Things turn out best for people who make the best of the way things turn out.* 99

POSITIVE AFFIRMATIONS

_____
_____
_____

DATE: _____ M T W T F S S   MY MOOD

TODAY. I AM TRULY GRATEFUL FOR:

1. _____
2. _____
3. _____

DATE: _____ M T W T F S S   MY MOOD

TODAY. I AM TRULY GRATEFUL FOR:

1. _____
2. _____
3. _____

DATE: _____ M T W T F S S   MY MOOD

TODAY. I AM TRULY GRATEFUL FOR:

1. _____
2. _____
3. _____

DATE: _____ M T W T F S S   MY MOOD

TODAY. I AM TRULY GRATEFUL FOR:

1. _____
2. _____
3. _____

What is your favorite time of day and why do you love it?

DATE: _____ M T W T F S S

MY MOOD

TODAY. I AM TRULY GRATEFUL FOR:

1. _____
2. _____
3. _____

DATE: _____ M T W T F S S

MY MOOD

TODAY. I AM TRULY GRATEFUL FOR:

1. _____
2. _____
3. _____

DATE: _____ M T W T F S S

MY MOOD

TODAY. I AM TRULY GRATEFUL FOR:

1. _____
2. _____
3. _____

> 66 *Change your expectation for appreciation and the world changes instantly.* 99

POSITIVE AFFIRMATIONS

_____
_____
_____

DATE: _____ **M T W T F S S**

MY MOOD

TODAY. I AM TRULY GRATEFUL FOR:

1. _____
2. _____
3. _____

DATE: _____ **M T W T F S S**

MY MOOD

TODAY. I AM TRULY GRATEFUL FOR:

1. _____
2. _____
3. _____

DATE: _____ **M T W T F S S**

MY MOOD

TODAY. I AM TRULY GRATEFUL FOR:

1. _____
2. _____
3. _____

DATE: _____ **M T W T F S S**

MY MOOD

TODAY. I AM TRULY GRATEFUL FOR:

1. _____
2. _____
3. _____

Name one luxury you enjoy on a daily or weekly basis.

- - - - - - - - - - - - - -   - - - - - - - - - - - - -

DATE: _____ M T W T F S S

MY MOOD

TODAY. I AM TRULY GRATEFUL FOR:

1. _____
2. _____
3. _____

DATE: _____ M T W T F S S

MY MOOD

TODAY. I AM TRULY GRATEFUL FOR:

1. _____
2. _____
3. _____

DATE: _____ M T W T F S S

MY MOOD

TODAY. I AM TRULY GRATEFUL FOR:

1. _____
2. _____
3. _____

> 66 *You won't be happy with more until you're happy with what you've got.* 99

POSITIVE AFFIRMATIONS

_____
_____
_____

DATE: _____ M T W T F S S

MY MOOD

TODAY. I AM TRULY GRATEFUL FOR:

1. _____
2. _____
3. _____

DATE: _____ M T W T F S S

MY MOOD

TODAY. I AM TRULY GRATEFUL FOR:

1. _____
2. _____
3. _____

DATE: _____ M T W T F S S

MY MOOD

TODAY. I AM TRULY GRATEFUL FOR:

1. _____
2. _____
3. _____

DATE: _____ M T W T F S S

MY MOOD

TODAY. I AM TRULY GRATEFUL FOR:

1. _____
2. _____
3. _____

What is your favorite place in your home? Why?

- - - - - - - - - - - - - - -   - - - - - - - - - - - - - -

DATE: _____ M T W T F S S

TODAY. I AM TRULY GRATEFUL FOR:

1. _____

2. _____

3. _____

DATE: _____ M T W T F S S

TODAY. I AM TRULY GRATEFUL FOR:

1. _____

2. _____

3. _____

DATE: _____ M T W T F S S

TODAY. I AM TRULY GRATEFUL FOR:

1. _____

2. _____

3. _____

> " *Most people are unhappy because they're focused on what they want rather than appreciating what they have.* "

POSITIVE AFFIRMATIONS

_____

_____

_____

DATE: _____ **M T W T F S S**

MY MOOD

TODAY. I AM TRULY GRATEFUL FOR:

1. _____

2. _____

3. _____

DATE: _____ **M T W T F S S**

MY MOOD

TODAY. I AM TRULY GRATEFUL FOR:

1. _____

2. _____

3. _____

DATE: _____ **M T W T F S S**

MY MOOD

TODAY. I AM TRULY GRATEFUL FOR:

1. _____

2. _____

3. _____

DATE: _____ **M T W T F S S**

MY MOOD

TODAY. I AM TRULY GRATEFUL FOR:

1. _____

2. _____

3. _____

Describe the last time you helped someone. How did it feel?

- -

DATE: _____ M T W T F S S

TODAY. I AM TRULY GRATEFUL FOR:

1. _____
2. _____
3. _____

DATE: _____ M T W T F S S

MY MOOD

TODAY. I AM TRULY GRATEFUL FOR:

1. _____
2. _____
3. _____

DATE: _____ M T W T F S S

MY MOOD

TODAY. I AM TRULY GRATEFUL FOR:

1. _____
2. _____
3. _____

> **"** *A thankful person is thankful under all circumstances. A complaining soul complains even in paradise.* **"**

POSITIVE AFFIRMATIONS

_____
_____
_____

DATE: _____ M T W T F S S

MY MOOD

TODAY. I AM TRULY GRATEFUL FOR:

1. _____
2. _____
3. _____

DATE: _____ M T W T F S S

MY MOOD

TODAY. I AM TRULY GRATEFUL FOR:

1. _____
2. _____
3. _____

DATE: _____ M T W T F S S

MY MOOD

TODAY. I AM TRULY GRATEFUL FOR:

1. _____
2. _____
3. _____

DATE: _____ M T W T F S S

MY MOOD

TODAY. I AM TRULY GRATEFUL FOR:

1. _____
2. _____
3. _____

What have you learned this year that has benefited you?

- -

DATE: _____   M T W T F S S

MY MOOD

TODAY. I AM TRULY GRATEFUL FOR:

1. _____

2. _____

3. _____

DATE: _____   M T W T F S S

MY MOOD

TODAY. I AM TRULY GRATEFUL FOR:

1. _____

2. _____

3. _____

DATE: _____   M T W T F S S

MY MOOD

TODAY. I AM TRULY GRATEFUL FOR:

1. _____

2. _____

3. _____

> *Stop thinking gratitude as a buy product of your circumstances and start thinking of it as a world view.*

POSITIVE AFFIRMATIONS

_____

_____

_____

DATE: _____ M T W T F S S

TODAY. I AM TRULY GRATEFUL FOR:

1. _____
2. _____
3. _____

DATE: _____ M T W T F S S

MY MOOD

TODAY. I AM TRULY GRATEFUL FOR:

1. _____
2. _____
3. _____

DATE: _____ M T W T F S S

MY MOOD

TODAY. I AM TRULY GRATEFUL FOR:

1. _____
2. _____
3. _____

DATE: _____ M T W T F S S

MY MOOD

TODAY. I AM TRULY GRATEFUL FOR:

1. _____
2. _____
3. _____

What do you really appreciate about your life?

- -

DATE: _____ M T W T F S S

MY MOOD

TODAY. I AM TRULY GRATEFUL FOR:

1. _____
2. _____
3. _____

DATE: _____ M T W T F S S

MY MOOD

TODAY. I AM TRULY GRATEFUL FOR:

1. _____
2. _____
3. _____

DATE: _____ M T W T F S S

MY MOOD

TODAY. I AM TRULY GRATEFUL FOR:

1. _____
2. _____
3. _____

> *Blessed are they who see beautiful things in humble places where other people see nothing.*

POSITIVE AFFIRMATIONS

_____

_____

_____

DATE: _____ M T W T F S S   MY MOOD

TODAY. I AM TRULY GRATEFUL FOR:

1. _____
2. _____
3. _____

DATE: _____ M T W T F S S   MY MOOD

TODAY. I AM TRULY GRATEFUL FOR:

1. _____
2. _____
3. _____

DATE: _____ M T W T F S S   MY MOOD

TODAY. I AM TRULY GRATEFUL FOR:

1. _____
2. _____
3. _____

DATE: _____ M T W T F S S   MY MOOD

TODAY. I AM TRULY GRATEFUL FOR:

1. _____
2. _____
3. _____

How can you continue being more thankful?

- -

DATE: _____ M T W T F S S

MY MOOD

TODAY. I AM TRULY GRATEFUL FOR:

1. _____
2. _____
3. _____

DATE: _____ M T W T F S S

MY MOOD

TODAY. I AM TRULY GRATEFUL FOR:

1. _____
2. _____
3. _____

DATE: _____ M T W T F S S

MY MOOD

TODAY. I AM TRULY GRATEFUL FOR:

1. _____
2. _____
3. _____

> **When gratitude becomes an essential foundation in our lives, miracles start to appear everywhere.**

POSITIVE AFFIRMATIONS

_____
_____
_____

MY REFLECTIONS

NOTES

NOTES

NOTES

NOTES

NOTES

Made in the USA
Las Vegas, NV
29 January 2022

42596840R00066